Riz, nori & Co
Les ingrédients typiques

La cuisine japonaise nous fait don d'une spécialité hors du commun : les sushis, véritables petites œuvres d'art formées à la main, enrobées d'algues ou disposées dans de petits bols, une réelle expérience en soi sur les plans esthétique et culinaire. Pour les Japonais, la nourriture parle à tous nos sens. C'est pourquoi la cuisine doit faire l'objet d'un soin tout particulier : les mets, arrangés avec une étonnante simplicité ou avec un extrême raffinement, enchantent tout autant les yeux que le palais. La finesse des sushis n'est pas fortuite : composés de riz mariné, de poisson tout juste pêché et de légumes croquants, ils constituent un plat délicat, exquis et sain. Leur saveur, leur pauvreté en graisses et en calories, ainsi que leur richesse en vitamines et en minéraux en font une spécialité qui a le vent en poupe. Leur diversité est étonnante, ils peuvent contenir une infinie variété d'ingrédients. Ils sont toujours préparés de manière traditionnelle, mais on les trouve partout. Les sushis, dégustés en plat principal ou en avant-dernier plat d'un menu japonais, se mangent avec des baguettes ou avec les doigts. On les trempe dans un mélange de sauce de soja et de wasabi (raifort). Il ne faut pas croquer dedans, mais les mettre entiers en bouche.

1

LES TONGU (à gauche) ou champignons shiitake s'emploient frais ou séchés. Séchés, ils gonflent bien et leur goût est plus puissant que lorsqu'ils sont frais.

1 LES LANGOUSTINES, les gambas ou les crevettes crues sont d'une couleur brun-gris, mais elles prennent une appétissante teinte rosée lorsqu'on les ébouillante.

2 LE SAUMON est utilisé cru, en filet, avec ou sans la peau, ou bien fumé. Il faut choisir la meilleure qualité !

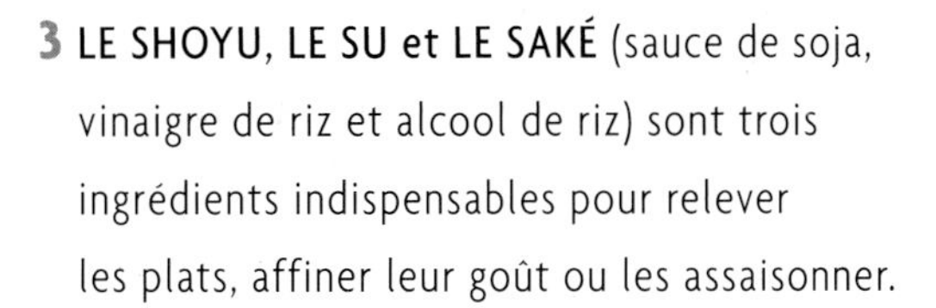

3 LE SHOYU, LE SU et LE SAKÉ (sauce de soja, vinaigre de riz et alcool de riz) sont trois ingrédients indispensables pour relever les plats, affiner leur goût ou les assaisonner.

4 LES FEUILLES DE NORI sont fabriquées à partir d'algues rouges pressées et séchées, conditionnées sous forme de feuilles presque noires, que l'on fait griller pour en affiner le goût. Les feuilles non grillées sont vertes.

5 LE CAVIAR et **LES ŒUFS DE POISSONS** ont différentes couleurs : les œufs de saumon sont orangés et assez gros, ceux du cabillaud sont plus petits et brun-rouge, ceux du hareng d'un jaune vif et le caviar affiche un gris argenté.

6 LE KOME, riz japonais à grain rond, s'agglutine une fois cuit. Nous l'appellerons ici riz pour sushis.

7 LE GARI ou **SHOGA** est du gingembre mariné, de couleur crème ou rosée. C'est l'accompagnement indispensable de tous les sushis.

6

7

LE KAMPYO : ces fines lanières de courge séchées sont réhydratées avant l'emploi. On les utilise pour la confection des sushis roulés.

LE KONBU et **LE WAKAME** sont des algues japonaises, utilisées pour la cuisson du riz ou dans les soupes. On les trouve fraîches en été, ou bien séchées.

LE MIRIN est un saké sucré et sirupeux, peu alcoolisé, parfait pour la cuisson.

LE RENKON ou racine de lotus s'achète frais, surgelé, séché ou mariné.

LE SURIMI est fabriqué à base de chair de poisson agglomérée, que l'on trouve souvent sous l'appellation « saveur de crabe ».

LE TAKUAN est un ingrédient apprécié dans les sushis. Il s'agit de daïkon (radis blanc) que l'on fait mariner après séchage et que l'on colore en jaune.

LE WASABI est du raifort vert très épicé, appelé namida (« pleurs ») dans les sushis-bars. On en trouve sous forme de pâte prête à l'emploi ou de poudre que l'on mélange à de l'eau.

Pas à pas
Conseils et tours de main

La préparation des sushis est un art, dit-on au Japon. Cependant, en maîtriser les principes n'est pas difficile. Pour les sushis ovales (« nigiri »), le riz est moulé et garni à la main. Les « maki-sushis » sont des rouleaux de sushis classiques entourés d'une feuille d'algue et enroulés à l'aide d'un set en bambou. Les rouleaux de petite taille sont appelés « hoso-maki » et les grands rouleaux contenant divers ingrédients « futo-maki ». Les californiens » présentent une particularité : ils sont enrobés de riz. Les « temaki-sushis » sont enroulés à la main en forme de cornets. Les « chirashi », les « sashimi » et les « mushi » sont moins connus en Europe, mais ils sont très répandus au Japon. Les « sashimi » sont de très fines tranches de poisson frais, les « chirashi » se composent d'un mélange de poisson, de viande, d'omelette et de légumes froids, servis en portions et, que l'on dispose sur du riz. Les « mushi » en sont la variante chaude. Vous aurez besoin d'un couteau très tranchant, d'un set en bambou, d'un plat en bois ou en terre pour faire refroidir le riz ainsi que de baguettes en bois.

Préparer des maki-sushis

1 Préparez tous les ingrédients nécessaires à la confection des maki-sushis. Posez la feuille de nori sur le set en bambou, côté lisse en dessous.

2 Mouillez vos mains et répartissez le riz sur la feuille de nori. Posez les autres ingrédients sur le tiers inférieur de la feuille.

3 Repliez le bas de la feuille de nori à l'aide du set en bambou en maintenant les ingrédients avec vos doigts.

4 Enroulez lentement la feuille de nori tout en pressant fermement. Le set ne doit pas être enroulé en même temps.

5 Ôtez le set en bambou et coupez les rouleaux de sushis en deux à l'aide d'un couteau très tranchant.

6 Découpez chaque moitié du rouleau en trois parts égales.

Préparer des temaki-sushis

1 Avec des ciseaux, coupez la feuille de nori en deux et posez-la sur votre paume gauche. Posez une bouchée de riz sur le bord inférieur.

2 Aplatissez légèrement la bouchée de riz et posez dessus les autres ingrédients, préparés au préalable.

3 Enroulez la pointe inférieure de la feuille de nori tout en tassant légèrement. Maintenez les ingrédients avec les doigts.

4 Fixez les bords de la feuille de nori à l'aide d'un ou deux grains de riz écrasés.

Former des nigiri-sushis

1 Formez de petites bouchées de riz pour sushis ovales. Enduisez la lamelle de poisson de wasabi et posez celle-ci dans votre main.

2 Placez les boulettes de riz sur le côté de la lamelle imprégné de wasabi, tassez légèrement, retournez les sushis et donnez-leur forme avec deux doigts.

Préparer le riz pour sushis

1 Versez 175 g de riz dans une passoire et rincez-le à l'eau froide, jusqu'à ce que l'eau qui s'en écoule soit bien claire.

2 Versez le riz dans 25 cl d'eau, portez à ébullition, laissez mijoter 2 minutes, puis hors du feu laissez gonfler 10 minutes, à couvert.

3 Ôtez le couvercle et laissez le riz gonfler 10 minutes à découvert. Faites chauffer 1 c. à c. de sel et de sucre dans 2 c. à s. de vinaigre de riz.

4 Versez le riz dans un plat, arrosez-le avec la marinade et mélangez à l'aide de baguettes. Vous obtiendrez ainsi environ 450 g de riz pour sushis.

Nigiri-sushis

Nigiri à l'omelette avec ceinture verte

Il s'agit d'un mariage classique : une bouchée de riz et de l'omelette, tendre et particulièrement légère, qui fond dans la bouche

Pour 8 pièces

6 œufs

7,5 cl de **dashi**

(bouillon de base instantané)

1 c. à c. de sauce de **soja**

2 c. à s. de **sucre** • **Sel**

1 c. à s. de **mirin**

2-3 c. à s. **d'huile**

175 g de **riz** pour sushis

(voir préparation page 9)

8 brins de **ciboulette**

Préparation

1 Pour l'omelette, cassez les œufs dans une terrine. Mélangez le dashi froid, la sauce de soja, le sucre, du sel et le mirin, jusqu'à ce que le sucre et le sel soient dissous. Versez ce mélange sur les œufs et battez l'ensemble des ingrédients avec un fouet, sans faire mousser le mélange. Faites chauffer l'huile dans la poêle et versez-y la préparation. L'omelette doit avoir environ 2 cm d'épaisseur.

2 Laissez refroidir l'omelette à température ambiante. Coupez-la en deux dans l'épaisseur, de façon à ce que chaque moitié ait environ 1 cm d'épaisseur. Découpez chaque moitié d'omelette en quatre carrés égaux.

3 Mouillez vos mains et formez 8 bouchées de riz ovales et de même grosseur. Recouvrez chaque boulette de riz d'un morceau d'omelette et appuyez doucement sur celui-ci. Maintenez l'ensemble à l'aide d'un brin de ciboulette noué.

Pour préparer l'omelette, les Japonais se servent traditionnellement de baguettes de cuisine. Les cuisiniers moins habiles choisiront une spatule recourbée : elle sera tout aussi pratique pour la faire cuire.

Nigiri aux sardines et au parfum de citron

La peau possède un précieux éclat argenté, la chair brille d'un rose appétissant : les sardines, iwashi, sont un ingrédient très prisé dans la cuisine japonaise

Pour 8 pièces

8 filets de **sardines** fraîches (avec la peau)

2 c. à s. de **sel** de mer

3 c. à s. de **vinaigre de riz**

1 c. à s. de **mirin**

1 c. à c. de **sucre**

2 c. à s. de jus de **citron**

1 pointe de couteau de zeste de **citron** fraîchement râpé

175 g de **riz** pour sushis (voir préparation page 9)

2 c. à c. de **wasabi**

8 brins de **ciboulette**

Préparation

1. Lavez les filets de sardines à l'eau froide, épongez-les et ôtez les éventuelles arêtes à l'aide d'une pince à épiler. Frottez les filets avec du sel de mer et laissez-les reposer 1 heure. Puis lavez-les de nouveau à l'eau froide et séchez-les.

2. Dans une petite terrine, mélangez le vinaigre de riz, le mirin, le sucre, le jus de citron et le zeste. Plongez les filets de sardines dans cette marinade, couvrez et laissez mariner 2 heures au réfrigérateur.

3. Sortez les filets de la marinade et épongez-les. À l'aide d'un couteau très tranchant, faites plusieurs petites incisions transversales de quelques millimètres de profondeur dans la peau des sardines.

4. Mouillez vos mains et formez 8 petites bouchées ovales de riz de même grosseur. Recouvrez l'une des faces des filets de sardines de pâte de wasabi, posez dessus une boulette de riz et appuyez doucement pour la faire tenir. Maintenez le tout à l'aide d'un brin de ciboulette.

On ne trouve de sardines fraîches que pendant la saison, entre juin et début septembre. Vous pouvez aussi utiliser de petites sardines marinées ou des filets de maquereaux frais sans leur peau.

Sushis au poisson

Préparation

1. Lavez les filets de poisson à l'eau froide, essuyez-les soigneusement et mettez-les au congélateur pour qu'ils refroidissent légèrement.
2. À l'aide d'un couteau très tranchant, découpez les filets en 10 lamelles très fines de même dimension.
3. À l'aide d'une cuillère à soupe, préparez 10 boulettes de riz de même grosseur. Mouillez vos mains et formez des bouchées ovales, forme caractéristique des nigiri.
4. Tassez bien les bouchées de riz formées à la main et aplatissez-les légèrement sur le dessous.
5. Enduisez les lamelles de filets de poisson de pâte de wasabi à l'aide d'une pointe de couteau.
6. Posez une lamelle de poisson sur chaque bouchée de riz, côté enduit de wasabi sur le riz, et appuyez doucement. Servez avec du wasabi et du radis mariné (takuan).

Pour 10 pièces

100 g de filet de **lotte**

100 g de filet de **saumon** frais

250 g de **riz** pour sushis

(voir préparation page 9)

1 c. à c. de pâte de **wasabi**

1 c. à s. de **radis** japonais mariné (takuan)

Pour 12 pièces

2 petites tranches de **saumon** fumé

2 c. à c. de **tarama**

1 c. à c. d'**aneth** frais haché

1 feuille 1/2 de **nori**

4 c. à s. de **vinaigre de riz**

250 g de **riz** pour sushis

(voir préparation page 9)

6 c. à c. d'**œufs** de saumon

6 c. à c. d'**œufs** de lump rouges

Nigiri aux trois garnitures

Préparation

1 Écrasez finement le saumon fumé à l'aide de deux fourchettes et mélangez-le au tarama. Ajoutez l'aneth haché à la préparation.

2 Découpez la grande feuille de nori dans sa largeur en 8 lamelles égales, et la demi-feuille en 4 lamelles.

3 Dans une petite terrine, mélangez le vinaigre de riz et 20 cl d'eau. Mouillez vos mains avec de l'eau vinaigrée et formez 12 bouchées de riz ovales, de même grosseur. Réhumidifiez constamment vos doigts.

4 Entourez chaque bouchée de riz d'une lamelle de nori de façon à ce qu'elle dépasse du riz d'un côté. Fixez les extrémités de la lamelle à l'aide d'un grain de riz écrasé. Garnissez un tiers des nigiri avec le tarama, un autre tiers avec les œufs de saumon et le dernier tiers avec les œufs de lump.

Sushis à l'anguille
et sauce « nitsume »

Les connaisseurs apprécient tout particulièrement sa saveur : l'anguille de mer fraîche est considérée comme un mets très délicat au Japon, présent dans les repas d'exception

Pour 10 pièces

1 **anguille**
(vidée et découpée en filets)
50 cl de **dashi**
(bouillon de base instantané)
10 cl de sauce de **soja**
20 cl de **vinaigre de riz**
20 cl de **mirin** • 50 g de **sucre**
200 g de **riz** pour sushis
(voir préparation page 9)
1/2 feuille de **nori**
1 c. à c. de pâte de **wasabi**
1 c. à c. de graines de **sésame**
Pour la sauce épicée « nitsume »
10 cl de sauce de **soja** claire
8 cl de **vinaigre de riz**
10 cl de **mirin** • 75 g de **sucre**

Préparation

1 Lavez les filets d'anguille dans l'eau salée, grattez la peau avec un couteau et ébouillantez-les à l'eau chaude.

2 Plongez le poisson, côté peau en dessous, dans un assaisonnement très chaud constitué de bouillon dashi de base, de sauce de soja, de vinaigre de riz, de mirin et de sucre et laissez cuire le tout environ 8 minutes.

3 Sortez le poisson, laissez-le refroidir et coupez-le en 10 morceaux. À l'aide de ciseaux, découpez la demi-feuille de nori en 10 lamelles, dans le sens de la longueur.

4 Préparez la sauce « nitsume » : pour cela, mélangez 100 ml du liquide de cuisson avec les autres ingrédients de la sauce et faites réduire à peu près de moitié.

5 Formez 10 petites bouchées de riz pour sushis, enduisez chacune d'elles d'un peu de pâte de wasabi et posez dessus un morceau de filet d'anguille. Nappez les morceaux d'anguille de sauce « nitsume » tiède. Entourez chacun des sushis d'une lamelle de nori, en fermant celle-ci à l'aide d'un grain de riz écrasé. Servez les sushis à l'anguille saupoudrés de sésame.

Ces nigiri sont aussi très bons avec de l'anguille fumée ou de la truite fumée. Vous pouvez en outre conserver la sauce « nitsume ». Elle accompagne très bien la viande rôtie.

Nigiri-sushis
à la dorade

Préparation

1 Lavez le filet de dorade à l'eau froide, essuyez-le et ôtez-en les éventuelles arêtes à l'aide d'une pince à épiler.

2 Coupez les bords du filet afin de leur donner une forme régulière. Découpez la chair perpendiculairement aux fibres en 8 lamelles fines.

3 Enduisez avec vos doigts l'une des faces du poisson d'un peu de pâte de wasabi. Dans une petite terrine, mélangez le vinaigre de riz et 20 cl d'eau.

4 Mouillez vos mains avec de l'eau vinaigrée et formez 8 bouchées de riz ovales de même grosseur.

5 Posez les lamelles de poisson dans votre paume gauche, face enduite de wasabi vers le haut. Posez dessus une boulette de riz, appuyez puis retournez-la, et, avec votre index, donnez-lui une forme semi-circulaire, caractéristique de ces sushis.

Pour 8 pièces

150 g de filet de **dorade** fraîche

2 c. à c. rases de **wasabi**

4 c. à s. de **vinaigre de riz**

175 g de **riz** pour sushis

(voir préparation page 9)

Pour 10 pièces

10 grosses **moules** marinées (en bocal)

4 brins de **persil** plat

200 g de **riz** pour sushis (voir préparation page 9)

2 pointes de couteau de **wasabi**

Nigiri aux moules et au persil

Préparation

1 Versez les moules dans une passoire et laissez-les bien égoutter.

2 Lavez et essuyez le persil. Gardez quelques feuilles pour la décoration, hachez le reste.

3 Mouillez vos mains et formez 10 boulettes de riz pour sushis de même grosseur. Aplatissez-les sur le dessous.

4 Pressez doucement le dessous des boulettes de riz dans le persil haché.

5 Enduisez chaque boulette de riz d'un peu de wasabi, posez une feuille de persil et une moule dessus et appuyez doucement pour les faire tenir.

6 Disposez les nigiri aux moules sur un plateau en bambou et servez selon votre goût avec de la sauce de soja.

Nigiri à l'avocat
et au poivre noir

Voici une association réussie : la douceur de l'avocat s'harmonise très bien avec la saveur piquante du poivre noir

Pour 10 pièces

2 **avocats** mûrs

3-4 c. à c. de jus de **citron**

4 c. à s. de **vinaigre de riz**

1/2 feuille de **nori**

200 g de **riz** pour sushis

(voir préparation page 9)

Poivre noir du moulin

Préparation

1. Coupez les avocats en deux, ôtez les noyaux et la peau. Découpez leur chair en 20 lamelles de même épaisseur. Arrosez immédiatement les lamelles de jus de citron.
2. Dans une terrine, mélangez le vinaigre de riz avec 20 cl d'eau. À l'aide de ciseaux, découpez la feuille de nori dans sa longueur en lamelles de même largeur (environ 1 cm de large).
3. Mouillez vos mains avec de l'eau vinaigrée et formez, avec le riz refroidi, 10 bouchées de riz ovales de même grosseur.
4. Aplatissez légèrement le dessous des bouchées, recouvrez-les de 2 lamelles d'avocat et maintenez le tout à l'aide d'une lamelle de nori. Fixez les extrémités de la lamelle de nori à l'aide d'un ou deux grains de riz écrasés. Assaisonnez d'un tour de moulin à poivre.

Une variante : remplacez l'avocat par une tomate coupée en rondelles et la lamelle de nori par un brin de ciboulette noué.

Sushis aux asperges
et au jambon de pays

Ces sushis mêlent tradition et ingrédients occidentaux : la cuisine japonaise revisitée

Pour 8 pièces

16 petites **asperges** vertes

Sel

4 c. à c. de **vinaigre de riz**

1/2 feuille de **nori**

300 g de **riz** pour sushis (voir préparation page 9)

2 c. à c. de pâte de **wasabi**

8 tranches fines de **jambon** cru

Préparation

1 Lavez les asperges et coupez-en les pointes. Faites cuire les pointes à l'eau bouillante salée pendant 3 à 4 minutes, de façon à ce qu'elles restent croquantes. Plongez-les dans de l'eau froide puis faites-les égoutter dans une passoire.

2 Préparez une solution vinaigrée « tezu » : pour cela, mélangez le vinaigre de riz et 20 cl d'eau dans une petite terrine et réservez. Avec des ciseaux, découpez la demi-feuille de nori dans sa longueur en 8 lamelles.

3 Mouillez vos mains avec le « tezu » et formez 8 bouchées de riz ovales, de même grosseur. Mouillez régulièrement vos doigts. Enduisez chaque bouchée de riz d'un peu de pâte de wasabi.

4 Posez par-dessus deux pointes d'asperges. Roulez la tranche de jambon et posez-la sur le nigiri.

5 Entourez chaque nigiri d'une lamelle de nori, maintenez l'extrémité de la lamelle à l'aide d'un ou deux grains de riz écrasés.

Vous pouvez poser le nigiri sur une feuille d'endive. Ces barquettes ne sont pas uniquement décoratives, elles permettent aux Occidentaux de manger le nigiri plus facilement !

Nigiri au saumon et au wasabi

Préparation

1 Lavez le filet de saumon à l'eau froide et épongez-le bien. Découpez-le en deux dans le sens de la longueur puis en 8 lamelles de même largeur, d'environ 2,5 × 4,5 cm, de manière légèrement oblique par rapport aux fibres.

2 Dans une petite terrine, mélangez le vinaigre de riz et 20 cl d'eau. Mouillez vos mains avec cette eau vinaigrée et formez 8 bouchées de riz de même grosseur.

3 Enduisez chaque lamelle de poisson d'une pointe de couteau de wasabi.

4 Posez une bouchée de riz sur chaque lamelle de poisson. Pour cela, placez la lamelle de poisson dans votre main gauche, face enduite de wasabi tournée vers le haut et posez une bouchée de riz dessus. Appuyez légèrement tout en pressant la bouchée de riz avec l'extrémité du pouce de votre main gauche. Servez avec du radis mariné (takuan).

Pour 8 pièces

150 g de filet de **saumon**

4 c. à s. de **vinaigre de riz**

175 g de **riz** pour sushis

(voir préparation page 9)

1 c. à c. de **wasabi**

1 c. à s. de **radis** japonais mariné (takuan)

Pour 8 pièces

8 grosses **crevettes** crues non décortiquées

Sel • 3 c. à s. de **vinaigre de riz**

1 c. à s. de **mirin**

1 c. à c. de **sucre**

1 c. à s. de jus de **citron**

175 g de **riz** pour sushis (voir préparation page 9)

1 c. à c. de **wasabi**

Sushis aux crevettes Miss Saigon

Préparation

1 Lavez les crevettes à l'eau froide, épongez-les bien et embrochez-les sur des brochettes en métal. Dans une petite poêle, faites chauffer 20 cl d'eau, ajoutez du sel et déposez les crevettes sur leurs brochettes. Faites cuire à couvert pendant 4 minutes. Sortez les crevettes, plongez-les dans l'eau froide puis ôtez les brochettes.

2 Décortiquez les crevettes à l'exception de la queue, incisez-les de bas en haut et ôtez-en la veine noire.

3 Mélangez le vinaigre de riz, 4 cuillères à soupe d'eau, le mirin, le sucre, le jus de citron et 1 pincée de sel. Faites mariner les crevettes 10 minutes dans ce mélange, puis laissez-les bien égoutter.

4 Mouillez vos mains et formez 8 bouchées de riz ovales de même grosseur. Posez une crevette dans votre main gauche, enduisez-la d'un peu de wasabi et posez dessus une bouchée de riz en appuyant légèrement.

Nigiri japonais
aux champignons shiitake

Faciles à préparer et délicieux : les nigiri aux champignons feront bientôt partie de tous vos buffets de sushis

Pour 10 pièces

10 gros **champignons** shiitake frais
1 c. à c. de **sel**
1 petit **poireau**
Sel • 4 c. à s. de **vinaigre de riz**
200 g de **riz** pour sushis (voir préparation page 9)
1-2 **citrons** non traités

Préparation

1 Frottez les shiitake frais avec du papier absorbant pour en éliminer les impuretés — sans les laver ! À l'aide d'un couteau tranchant, coupez-en le pied, incisez le chapeau pour y dessiner une étoile, sans traverser la chair. Faites griller les champignons 2 à 3 minutes ou faites-les revenir rapidement à la poêle, jusqu'à ce qu'ils soient tendres et prennent une couleur plus foncée. Saupoudrez-les de sel.

2 Nettoyez le poireau. Détachez-en deux ou trois feuilles, faites-les blanchir à l'eau bouillante salée, rincez-les à l'eau froide, laissez-les égoutter et refroidir. Coupez les feuilles dans leur longueur en 10 fines lamelles.

3 Dans une petite terrine, mélangez le vinaigre de riz avec 20 cl d'eau. Mouillez vos mains avec cette eau vinaigrée et formez 10 bouchées de riz pour sushis ovales de même grosseur. Aplatissez légèrement le dessous des bouchées, recouvrez-les avec le chapeau d'un champignon et attachez l'ensemble avec une lamelle de poireau.

4 Lavez les citrons à l'eau chaude, essuyez-les et coupez-les en quartiers. Dressez les nigiri sur des plats individuels et servez-les avec les quartiers de citron. Arrosez-les de jus de citron avant de les déguster.

Les nigiri japonais sont aussi très bons avec d'autres champignons parfumés. Les pleurotes cuites conviennent parfaitement, par exemple, lorsqu'elles sont relevées d'un soupçon d'ail.

Nigiri-sushis
au thon frais

Un **classique** parmi les ingrédients des sushis : le thon cru, à la chair tendre, régale le palais de sa **saveur** particulièrement fine

Pour 8 pièces

150 g de filet de **thon** frais

2 c. à c. de pâte de **wasabi**

4 c. à s. de **vinaigre de riz**

175 g de **riz** pour sushis

(voir préparation page 9)

Préparation

1 Lavez le thon à l'eau froide, épongez-le et retirez les éventuelles arêtes à l'aide d'une pince à épiler. Coupez les bords afin de leur donner une forme régulière, et coupez le filet de manière légèrement oblique par rapport aux fibres en 8 parts très fines, si possible de tailles égales, d'environ 3 × 5 cm.

2 Enduisez une face des lamelles de poisson de wasabi à l'aide d'une pointe de couteau.

3 Dans une petite terrine, préparez un mélange « tezu » : le vinaigre de riz et 20 cl d'eau. Mouillez vos mains avec ce mélange et formez 8 bouchées de riz ovales de même grosseur.

4 Posez le côté enduit de wasabi d'une tranche de thon sur la boulette de riz et appuyez doucement.

Les Japonais définissent trois qualités de filet de thon : *otoro*, une partie du ventre claire et grasse, *chutoro*, une autre partie du ventre plus maigre et plus foncée et *akami*, la chair maigre et rouge foncé située près de l'arête centrale.

Temaki-sushis

Temaki-sushis au saumon frais

De surprenantes bouchées en forme de cornets qui marient le piquant de la moutarde à la saveur du poisson grillé

Pour 4 pièces

100 g de filet de **saumon** (avec la peau)

Sel • 1 c. à c. d'**huile**

1 c. à c. de **moutarde** forte

2 c. à s. de **cresson** de fontaine

4 feuilles de **salade**

2 feuilles de **nori**

200 g de **riz** pour sushis (voir préparation page 9)

Préparation

1 Lavez le filet de saumon à l'eau froide et séchez-le bien. Passez le côté peau dans le sel puis coupez-le en biais en 4 petits morceaux, de façon à ce que chacun d'eux conserve un morceau de peau.

2 Faites préchauffer le gril du four. Posez les tranches de poisson sur une feuille de papier aluminium légèrement huilé et faites-les griller jusqu'à ce qu'elles soient croustillantes.

3 Enduisez les tranches de saumon d'un peu de moutarde des deux côtés.

4 Lavez le cresson et les feuilles de salade et épongez-les.

5 Coupez les feuilles de nori en diagonale. Répartissez sur chaque moitié un peu de riz, garnissez avec un morceau de saumon, un peu de cresson et une feuille de salade et roulez le tout en cornet.

Si vous ne possédez pas de gril, vous pouvez également faire cuire les tranches de saumon dans une poêle à couvert. Vous pouvez aussi utiliser du saumon fumé.

Sushis en cornets
à l'omelette et aux légumes

Un régal pour le palais : la garniture d'omelette, de concombre et de courge possède un goût raffiné et délicieusement rafraîchissant

Pour 4 pièces

4 lanières de **courge** séchée

Sel • 4 **œufs**

4 c. à s. de **dashi**

(bouillon de base instantané)

2 c. à c. de sauce de **soja** claire

3 c. à c. de **sucre**

2 c. à s. de **mirin**

2 c. à s. d'**huile**

50 g de **concombre**

2 feuilles de **nori**

150 g de **riz** pour sushis

(voir préparation page 9)

1 c. à c. de **wasabi**

2 c. à c. de **cresson** lavé

Préparation

1 Lavez les lanières de courge à l'eau courante. Frottez-les avec un peu de sel entre vos mains jusqu'à ce qu'elles deviennent plus tendres. Rincez le sel et faites ramollir les lanières 20 minutes dans l'eau chaude.

2 Pour l'omelette, cassez les œufs dans une terrine. Mélangez le bouillon dashi froid, 1 cuillère à café de sauce de soja, 1 cuillère à café de sucre, une pincée de sel et 1 cuillère à soupe de mirin, jusqu'à ce que le sucre et le sel soient dissous. Battez ce mélange avec les œufs à l'aide d'un fouet. La préparation ne doit pas devenir mousseuse. Faites chauffer l'huile dans la poêle puis faites cuire l'omelette d'environ 2 cm d'épaisseur. Laissez-la refroidir puis coupez-la en 8 lamelles de même grosseur.

3 Égouttez les lanières de courge, mettez-les dans une casserole avec de l'eau fraîche et faites-les bouillir 10 minutes. Égouttez-les. Dans la casserole, remettez les courges et de l'eau fraîche à hauteur. Ajoutez le reste de sucre, de sauce de soja et le mirin. Faites bouillir à feu moyen, à découvert, jusqu'à ce qu'il n'y ait presque plus de jus. Laissez refroidir les courges, séchez-les et coupez-les en deux.

4 Lavez et essuyez bien le concombre, coupez-le en rondelles de 1 cm d'épaisseur, puis coupez celles-ci en lamelles transversales. Coupez les feuilles de nori en diagonale. Mouillez vos mains et formez 4 bouchées de riz de même grosseur.

5 Enroulez en cornet les feuilles de nori et garnissez-les de riz, de wasabi, d'omelette, de lamelles de courge et de concombre, ainsi que d'un petit bouquet de cresson.

Petits cornets de sushis
à la volaille et aux champignons

Préparation

1 Découpez les blancs de canard et de poulet en lamelles de 0,5 cm de largeur. Mélangez la sauce teriyaki avec 3 cuillères à soupe d'eau et faites-y mariner la viande à couvert pendant 20 minutes.

2 Faites griller les graines de sésame dans une poêle à sec.

3 Coupez la partie verte du chou chinois (utilisez la partie blanche pour une autre recette), lavez-la et coupez-la en lamelles. Nettoyez les champignons et coupez-les en lamelles. Coupez les feuilles de nori en diagonale.

4 Faites chauffer l'huile, et faites dorer la viande 2 minutes à feu vif, puis réservez-la. Faites sauter les champignons 4 minutes, arrosez-les avec la marinade et laissez réduire. Mélangez les champignons, la viande et les graines de sésame et laissez le tout refroidir.

5 Mouillez vos mains et formez 8 boulettes de riz. Posez une boulette de riz sur le bord supérieur d'une demi-feuille de nori, et enduisez-la de pâte de wasabi. Ajoutez la viande et le chou chinois, maintenez bien les ingrédients et enroulez l'ensemble en forme de cornet.

Pour 8 pièces

150 g de blanc de **canard** (sans la peau)

100 g de blanc de **poulet**

5 c. à s. de **sauce** « teriyaki »

2 c. à s. de graines de **sésame**

8 petites feuilles de **chou** chinois

4 gros **champignons** de Paris

4 feuilles de **nori**

1 c. à s. d'huile de **sésame**

200 g de **riz** pour sushis

(voir préparation page 9)

1 c. à c. de pâte de **wasabi**

Pour 8 pièces

1 **œuf** dur

2 **pommes de terre** cuites

1 boîte de **thon** au naturel

(poids égoutté 150 g)

2 petites **échalotes**

1 morceau de **concombre** (env. 5 cm)

Sel • **Poivre** moulu

4 feuilles de **nori**

200 g de **riz** pour sushis

(voir préparation page 9)

Temaki-sushis à la salade de thon

Préparation

1 Écalez l'œuf dur et hachez-le. Pelez les pommes de terre et écrasez-les finement à la fourchette.

2 Faites égoutter le thon dans une passoire. Pelez les échalotes et hachez-les finement. Lavez le concombre, coupez-le en deux dans le sens de la longueur et videz-en les graines à l'aide d'une cuillère. Coupez-le avec sa peau en fins bâtonnets. Émiettez le thon à l'aide d'une fourchette.

3 Mélangez l'œuf, les pommes de terre écrasées, les miettes de thon et les bâtonnets de concombre et assaisonnez avec du sel et du poivre.

4 Coupez les feuilles de nori en deux à l'aide de ciseaux de cuisine. Mouillez vos mains et formez 8 boulettes de riz de même grosseur. Posez une boulette de riz sur le bord supérieur de chaque feuille de nori, roulez celle-ci pour former un cornet et garnissez-le de salade de thon.

Temaki aux crevettes
et bouquet de légumes

Une fête pour les sens : plaisir des yeux et saveur délicate
sont réunis dans ces temaki raffinés

Pour 6 pièces

175 g de **pois** gourmands

175 g de **carottes** nouvelles

3 **radis** daïkon (env. 250 g)

Sel

6 **crevettes** (cuites)

2 c. à s. de **mirin**

4 c. à s. de **mayonnaise**

2 c. à c. de sauce de **soja**

175 g de **riz** pour sushis

(voir préparation page 9)

3 feuilles de **nori**

1-2 c. à c. de pâte de **wasabi**

Préparation

1. Lavez les pois gourmands et coupez-les en deux dans le sens de la longueur. Épluchez les carottes et les radis. Coupez les carottes en deux dans le sens de la longueur, coupez les radis en lamelles d'environ 7 cm de longueur et 0,5 cm de largeur, salez légèrement.

2. Faites blanchir les lamelles de carotte et les pois gourmands à l'eau bouillante salée pendant environ 1 minute, passez-les sous l'eau froide et laissez-les égoutter dans une passoire.

3. Mélangez les légumes et répartissez-les en 6 portions. Faites mariner les crevettes environ 10 minutes dans le mirin. Mélangez la mayonnaise avec la sauce de soja.

4. Mouillez vos mains et formez 6 boulettes de riz de même grosseur.

5. Coupez en deux les feuilles de nori dans le sens de la longueur. Posez une demi-feuille, côté lisse en dessous, dans votre main gauche. Posez une boulette de riz sur la moitié supérieure de la feuille et enduisez-la d'un peu de pâte de wasabi. Garnissez avec des légumes, une crevette et le mélange mayonnaise-soja, tassez légèrement et enroulez la feuille de nori en forme de cornet.

Vous pouvez remplacer les crevettes par 3 gambas : faites-les cuire dans 1 cuillère à soupe d'huile avec 1 gousse d'ail hachée ; décortiquez-les, coupez-les en deux dans la longueur et préparez-les de la même manière que les crevettes.

Cornets d'algues aux champignons

Préparation

1 Nettoyez les champignons en les frottant avec un torchon et coupez l'extrémité du pied. Lavez et pelez la carotte.

2 Coupez les champignons et la carotte dans le sens de la longueur, puis la carotte en petits dés.

3 Faites chauffer la moitié de l'huile dans une poêle munie d'un couvercle et faites cuire les dés de carotte à l'étuvée pendant 3 à 4 minutes, de façon à ce qu'elles restent fermes, sortez-les et laissez-les refroidir. Faites cuire 2 à 3 minutes à feu vif les champignons dans le reste d'huile et laissez-les refroidir.

4 Mélangez les légumes avec le riz et relevez le tout avec la sauce de soja, l'huile de sésame, la pâte de wasabi et le gingembre.

5 Coupez les feuilles de nori en deux, posez dessus du riz aux légumes et roulez-les en forme de cornets. Servez froid, avec une coupelle de sauce de soja.

Pour 8 pièces

150 g de **shiitake**

1 grosse **carotte**

2 c. à c. d'**huile**

200 g de **riz** pour sushis

(voir préparation page 9)

1 c. à s. de sauce de **soja**

1 c. à c. d'huile de **sésame**

2 pointes de couteau de pâte de **wasabi**

1 c. à c. de **gingembre** fraîchement râpé

4 feuilles de **nori**

Pour 8 pièces

2 filets de **saumon** frais (env. 150 g)

1/2 barquette de **cresson**

2 lamelles de **radis** japonais mariné (takuan)

1 morceau de **concombre** (env. 4 cm)

4 feuilles de **nori**

200 g de **riz** pour sushis (voir préparation page 9)

1 c. à c. de pâte de **wasabi**

Temaki-sushis à l'occidentale

Préparation

1. Lavez les filets de saumon à l'eau froide et séchez-les bien. Coupez-les en biais en quatre fines tranches et faites-les griller jusqu'à ce que le poisson soit cuit et croustillant. Laissez-le refroidir.

2. Triez le cresson, lavez-le et essorez-le. Laissez égoutter le radis mariné et coupez-le en lamelles étroites de 5 cm de long. Lavez le concombre, séchez-le et coupez-le avec la peau en bâtonnets de 5 cm de long.

3. Coupez les feuilles de nori en deux. Sur chaque moitié, répartissez environ 1 cuillère à soupe de riz pour sushis, recouvrez de pâte de wasabi et garnissez de saumon, de concombre et de radis.

4. Enfin, posez sur le tout un petit bouquet de cresson et enroulez les feuilles de nori en cornets. Servez immédiatement les temaki, afin qu'ils ne ramollissent pas.

Temaki
au fromage frais et aux herbes

Simplement irrésistibles : le goût piquant de la ciboule donne à ces cornets une saveur printanière

Pour 10 pièces

1/2 barquette de **cresson**

1 petite **carotte**

4-5 **radis**

1 **ciboule**

75 g de **fromage** frais

1 c. à c. de **mayonnaise**

1 pointe de couteau de **wasabi**

Sel • **Poivre** moulu

5 feuilles de **nori**

200 g de **riz** pour sushis

(voir préparation page 9)

Préparation

1 Triez le cresson, lavez-le et essorez-le. Lavez la carotte, épluchez-la et coupez-la en petits dés. Nettoyez les radis et, selon leur grosseur, coupez-les en quatre ou en huit.

2 Nettoyez la ciboule, coupez-la en deux et émincez-la.

3 Mélangez le fromage frais avec la mayonnaise et la pâte de wasabi afin d'obtenir une consistance crémeuse. Salez et poivrez.

4 Incorporez au mélange à base de fromage environ 2/3 du cresson, les dés de carotte, 2/3 des radis et la ciboule émincée.

5 Coupez en deux les feuilles de nori. Mouillez vos mains et formez 10 boulettes de riz pour sushis de même grosseur.

6 Posez une demi-feuille de nori, face lisse en dessous, sur votre paume gauche, posez une boulette de riz sur son extrémité supérieure avec du mélange au fromage. Roulez la feuille en forme de cornet et garnissez-la avec un peu de cresson et un morceau de radis. Servez immédiatement.

Ces sushis roulés en cornets remportent toujours un grand succès sur les buffets. Pour servir, coupez les feuilles de nori en 4 ou proposez de la laitue pommée ou romaine pour envelopper les temaki.

Sushis roulés à la viande

Une enveloppe **exotique** de feuilles de nori dissimule un **goûteux** mélange de viande et de légumes

Pour 4 pièces

100 g de **bœuf** (rumsteck ou tende-de-tranche)
150 g de **carottes** • 2 **ciboules**
2 c. à s. d'**huile**
1 pointe de couteau de **poivre** blanc
2 feuilles de **nori**
175 g de riz pour **sushis** (voir préparation page 9)
1 c. à c. de pâte de **wasabi**
4 feuilles de **salade**

Pour la sauce :
20 cl de sauce de **soja**
20 cl de **mirin**
20 cl de **vinaigre de riz**

Préparation

1. Mettez la viande dans le congélateur, jusqu'à ce qu'elle soit légèrement gelée. Pendant ce temps, lavez et pelez les carottes, nettoyez les ciboules. Coupez ces légumes en fines lamelles.

2. Sortez la viande du congélateur et coupez-la en tranches extrêmement fines. Faites chauffer l'huile dans une poêle et faites-y rapidement dorer la viande. Réservez.

3. Préparez la sauce en mélangeant tous les ingrédients. Faites cuire les carottes et les ciboules à la poêle avec la sauce de manière à ce qu'elles restent fermes. Poivrez et faites égoutter les légumes.

4. Coupez en diagonale les feuilles de nori. Posez un peu de riz sur chaque demi-feuille, enduisez le riz de pâte de wasabi, ajoutez une feuille de salade lavée, un peu de viande et de légumes et roulez le tout en cornet. Maintenez les bords de la feuille de nori à l'aide de grains de riz écrasés.

Vous pouvez remplacer le steak par d'autres viandes. Le blanc de canard ou de dinde, badigeonné avec 1 cuillère à café de beurre de cacahuète, est particulièrement délicieux.

Cornets de Californie
aux crevettes et aux œufs de lump

Préparation

1 Pelez la courgette, lavez-la, essuyez-la et coupez-la en bâtonnets fins d'environ 0,5 cm d'épaisseur.

2 Lavez les crevettes à l'eau froide et épongez-les soigneusement.

3 Ôtez la peau du quart d'avocat, coupez-le en quatre lamelles et arrosez-les aussitôt de jus de citron.

4 À l'aide de ciseaux de cuisine, coupez les feuilles de nori en diagonale.

5 Mouillez vos mains et formez 4 boulettes de riz de même grosseur, puis enduisez chacune d'elles de pâte de wasabi.

6 Garnissez les feuilles de nori avec le riz, les lamelles d'avocat, les bâtonnets de courgette, les crevettes et les œufs de lump et enroulez-les en cornets.

Pour 4 pièces

1 petite **courgette**

4 **crevettes** (cuites)

1/4 d'**avocat** mûr

1 c. à c. de jus de **citron**

2 feuilles de **nori**

150 g de **riz** pour sushis

(voir préparation page 9)

1 c. à c. de pâte de **wasabi**

4 c. à c. d'**œufs de lump**

Pour 4 pièces

4 petites feuilles de **batavia**

1 petite **échalote**

1/4 d'**avocat** mûr

1 c. à c. de jus de **citron**

1 **citron** non traité

2 feuilles de **nori**

150 g de **riz** pour sushis

(voir préparation page 9)

1 c. à c. de pâte de **wasabi**

60 g de **surimi** (4 bâtonnets)

1 c. à c. de graines de **sésame** noires

Temaki-sushis au surimi

Préparation

1 Lavez et essorez la salade. Pelez l'échalote et émincez-la dans le sens de la longueur.

2 Ôtez la peau du morceau d'avocat, coupez-le en quatre lamelles et arrosez-les aussitôt de jus de citron.

3 Lavez le citron à l'eau très chaude, essuyez-le et coupez-en quatre tranches très fines.

4 À l'aide de ciseaux de cuisine, coupez les feuilles de nori en diagonale. Mouillez vos mains et formez 4 boulettes de riz de même grosseur.

5 Posez sur les feuilles de nori le riz, la pâte de wasabi, 1 bâtonnet de surimi et les autres ingrédients et enroulez-les pour former des cornets. Avant de servir, parsemez les temaki-sushis de graines de sésame noires.

Temaki aux légumes
sauce à l'avocat

Des cornets pleins de fraîcheur : des légumes croquants réunis dans une crème à base d'avocat font de ces temaki un véritable délice

Pour 8 pièces

4 **asperges** vertes

1 petite **courgette**

1 **avocat**

2 c. à s. de jus de **citron**

4 c. à c. de **mayonnaise**

1 c. à c. de sauce de **soja**

200 g de **riz** pour sushis

(voir préparation page 9)

4 feuilles de **nori**

1 c. à c. de **wasabi**

Préparation

1. Lavez les asperges, pelez le tiers inférieur et coupez le pied. Coupez-les en deux dans le sens de la longueur.
2. Pelez la courgette, lavez-la et coupez-la en bâtonnets de 7 cm de long et de 0,5 cm de large.
3. Coupez l'avocat en deux, ôtez le noyau et la peau. Découpez une moitié d'avocat en tranches et arrosez-les de jus de citron. Mixez l'autre moitié et mélangez-la avec la mayonnaise et la sauce de soja.
4. Mouillez vos mains et formez 8 boulettes de riz de même grosseur.
5. Coupez en deux les feuilles de nori dans le sens de la longueur. Posez une demi-feuille, côté lisse en dessous, sur votre paume gauche. Posez une boulette de riz sur la moitié supérieure et enduisez-la d'un peu de pâte de wasabi.
6. Garnissez avec quelques bâtonnets de courgette, d'avocat et une asperge, ajoutez un peu de purée d'avocat et enroulez la feuille de nori en forme de cornet.

Pour réaliser ces temaki, vous pouvez aussi utiliser des restes de porc, de dinde ou de poulet. Faites revenir brièvement la viande dans de l'huile de sésame et aromatisez avec un peu de sauce de soja.

Maki-sushis

Ura-maki aux légumes enrobés de sésame

De **croustillantes** graines de sésame dorées décorent ces rouleaux qui demandent, pour leur réalisation, un certain **doigté**

Pour 10 pièces

4 c. à s. de graines de **sésame**

1 morceau de **concombre** (env. 10 cm)

1/2 **avocat** mûr

1 c. à c. de jus de **citron**

4 feuilles de **salade**

1 c. à s. de **mayonnaise**

2 feuilles de **nori**

250 g de **riz** pour sushis (voir préparation page 9)

Préparation

1 Faites griller les graines de sésame dans une poêle à sec. Versez-les dans une assiette et laissez-les refroidir.

2 Lavez le concombre, coupez-le en deux dans la longueur et ôtez les graines à l'aide d'une cuillère. Coupez-le avec sa peau en bâtonnets d'environ 0,5 cm d'épaisseur. Ôtez la peau du morceau d'avocat, coupez-le en tranches dans le sens de la longueur et arrosez-les aussitôt de jus de citron.

3 Lavez les feuilles de salade et épongez-les. Badigeonnez-les avec la moitié de la mayonnaise. Enroulez ensuite les feuilles sur elles-mêmes.

4 Enveloppez un set en bambou de film alimentaire. Posez dessus une feuille de nori, côté lisse en dessous. Mouillez vos mains et répartissez sur la feuille de nori la moitié du riz. Tassez en laissant les bordures libres dans la longueur. Retournez délicatement la feuille, de manière à ce que le riz soit contre le film alimentaire.

5 Recouvrez le tiers inférieur de la feuille de nori avec la moitié du reste de la mayonnaise et posez dessus la moitié des rouleaux de salade, des bâtonnets de concombre et des tranches d'avocat. Enroulez le riz, la feuille de nori et la garniture à l'aide du set en bambou.

6 Avec le reste des ingrédients, formez un deuxième rouleau. Passez avec précaution les rouleaux dans les graines de sésame et coupez-les en cinq tranches égales.

Rouleaux californiens
et hoso-maki aux courges

Deux classiques : les rouleaux californiens
et les hoso-maki aux courges marinées apportent leur touche colorée

Pour 12 et 16 pièces

Pour les rouleaux californiens :

60 g de **surimi** (4 bâtonnets)

1 morceau de **concombre** (env. 10 cm)

1/2 **avocat**

1 c. à c. de jus de **citron**

4 c. à s. de graines de **sésame**

2 feuilles de **nori**

250 g de **riz** pour sushis (voir préparation page 9)

1 c. à s. de **mayonnaise**

Pour les hoso-maki :

100 g de **courges** marinées jaunes

2 feuilles de **nori**

1 c. à c. de pâte de **wasabi**

400 g de **riz** pour sushis

Préparation

1 Préparez les rouleaux californiens comme dans la recette page 62 : coupez les bâtonnets de surimi en deux dans la longueur, coupez en deux le concombre lavé, ôtez les graines et coupez-le en bâtonnets. Ôtez la peau de l'avocat, coupez-le en tranches et arrosez-les de jus de citron. Faites dorer les graines de sésame à sec puis laissez-les refroidir.

2 Enveloppez le set en bambou de film alimentaire et posez dessus une feuille de nori, côté lisse en dessous. Étendez dessus la moitié du riz pour sushis, tassez et retournez la feuille de nori de façon à ce que le riz soit contre le film alimentaire. Garnissez la feuille de nori avec la moitié des ingrédients et enroulez-la. Procédez de même pour faire un deuxième rouleau. Coupez chacun des rouleaux en six et saupoudrez-les de sésame.

3 Pour les hoso-maki, faites égoutter la chair des courges dans une passoire puis hachez-la.

4 Coupez les feuilles de nori en deux. Posez chaque demi-feuille sur un set en bambou, garnissez avec un quart de la pâte de wasabi et du riz, ajoutez un quart de la chair de courge et enroulez le tout. Coupez chaque rouleau en quatre.

Les hoso-maki à la courge sont particulièrement raffinés lorsqu'on les garnit avec des œufs de saumon. Le plateau de sushis sera servi avec de la pâte de wasabi et quelques tranches de radis japonais mariné (takuan).

Rouleaux de printemps au saumon

Préparation

1 Lavez les filets de saumon à l'eau froide, essuyez-les et arrosez-les de jus de citron. Salez et poivrez.

2 Répartissez le riz sur les galettes de riz humidifiées au préalable et tassez-le. Posez les filets de saumon sur le riz et roulez les galettes de riz avec leur garniture. Mélangez la fécule avec 1 c. à c. d'eau, enduisez les bords de la galette et appuyez fermement.

3 Faites chauffer l'huile dans la friteuse jusqu'à ce que des bulles se forment autour d'un petit bâtonnet de bois tenu à l'intérieur. Faites frire les rouleaux à l'huile bouillante et sortez-les lorsqu'ils sont dorés et croustillants.

4 Faites égoutter les rouleaux de printemps sur du papier absorbant. Coupez-les en biais en deux ou trois morceaux à l'aide d'un couteau tranchant. Saupoudrez à votre convenance de graines de sésame grillées et servez avec du gingembre mariné et de la sauce pimentée.

Pour 8 ou 12 pièces

4 filets de **saumon** frais (env. 80 g)

4 c. à c. de jus de **citron**

Sel • **Poivre** moulu

200 g de **riz** pour sushis

(voir préparation page 9)

4 **galettes** de riz

1 c. à c. de **fécule**

Huile pour friture

Pour 16 pièces

1 morceau de **concombre** (env. 5 cm)

100 g de **soja** jaune mariné

1 c. à s. de marmelade

de **prunes** japonaise

2 feuilles de **nori**

250 g de **riz** pour sushis

(voir préparation page 9)

1 c. à c. de pâte de **wasabi**

Maki-sushis
à la marmelade de prunes

Préparation

1. Lavez le morceau de concombre et prélevez des lanières de peau en conservant environ 0,5 cm d'épaisseur de pulpe.

2. Rincez le soja et laissez-le égoutter brièvement. Hachez-le grossièrement à l'aide d'un couteau sur une planche, puis mélangez-le dans une petite terrine avec la marmelade de prunes.

3. Coupez les feuilles de nori en deux. Sur chaque demi-feuille, étendez un quart du riz et enduisez celui-ci de pâte de wasabi. Répartissez la marmelade de prune au soja et les lanières de concombre sur le riz.

4. Réalisez les maki-sushis à l'aide d'un set en bambou, et, tout en les enroulant, donnez-leur une forme carrée. Coupez chaque rouleau en 4 parts égales.

Hoso-Maki
au poisson et aux légumes

Un trio **délicat** : qu'ils soient garnis de thon, de champignons ou de légumes, les hoso-maki traditionnels sont un **régal** pour les yeux comme pour le palais

Pour 12 pièces de chaque

Hoso-maki au thon :

1/2 **avocat** mûr

1 c. à c. de jus de **citron**

125 g de filet de **thon** frais

Hoso-maki aux légumes :

4 feuilles de **salade**

1 c. à s. de **mayonnaise**

100 g de **radis** noir

100 g de **carottes**

4 c. à s. de **saké** • **Sel**

1 c. à c. de **sucre** en poudre

Hoso-maki aux champignons :

6 **champignons** shiitake secs

2 c. à c. de **sucre**

3 c. à s. de sauce de **soja** et de **saké**

Quelques brins de **ciboulette**

Et : 3 feuilles de **nori**

3 c. à c. de **wasabi**

600 g de **riz** pour sushis

Préparation

1 Pour les hoso-maki au thon, coupez le demi-avocat épluché en lamelles, arrosez-le de jus de citron. Lavez le thon, épongez-le, coupez-le dans la longueur en bâtonnets de 0,5 cm d'épaisseur.

2 Garnissez deux demi-feuilles de nori de riz, de pâte de wasabi, de poisson et d'avocat, enroulez-les et coupez-les en 6 parts.

3 Pour les hoso-maki aux légumes, lavez les feuilles de salade et essuyez-les. Enduisez-les d'un peu de mayonnaise et faites-en de minces rouleaux. Lavez et épluchez le radis et les carottes, coupez-les en bâtonnets d'environ 5 cm sur 0,5 cm.

4 Faites bouillir le saké avec 3 cuillères à soupe d'eau, un peu de sel et du sucre, ajoutez les bâtonnets de carotte et de radis et faites-les cuire environ 1 minute. Retirez-les du feu et laissez-les refroidir dans le bouillon. Garnissez deux demi-feuilles de nori de riz, de wasabi, de rouleaux de salade, de carottes et de radis, enroulez-les et coupez-les en six.

5 Pour les hoso-maki aux champignons, arrosez les champignons shiitake de 20 cl d'eau bouillante et laissez-les gonfler pendant 30 minutes. Videz l'eau de trempage et recueillez-la. Lavez les champignons, ôtez les pieds. Faites chauffer l'eau de trempage avec les champignons, le sucre, la sauce de soja et le saké, laissez bouillir environ 10 minutes. Égouttez et laissez les champignons refroidir puis coupez-les en lamelles. Lavez et essorez la ciboulette.

6 Garnissez deux demi-feuilles de nori de riz, de pâte de wasabi, de champignons et de ciboulette, enroulez-les et coupez-les en six.

Rouleaux californiens classiques

Le secret des maki-sushis révélé : l'enveloppe de riz collé sur la feuille de nori contient une garniture raffinée

Pour 12 pièces

60 g de **surimi** (4 bâtonnets)

1 morceau de **concombre** (env. 10 cm)

1/2 **avocat** mûr

1 c. à c. de jus de **citron**

4 c. à s. de graines de **sésame**

2 feuilles de **nori**

250 g de **riz** pour sushis (voir préparation page 9)

1 c. à s. de **mayonnaise**

Préparation

1 Coupez les bâtonnets de surimi en deux dans le sens de la longueur.

2 Lavez le concombre, coupez-le en deux et évidez-en le centre à l'aide d'une cuillère. Découpez-le en bâtonnets d'environ 0,5 cm d'épaisseur.

3 Ôtez la peau de l'avocat, coupez-le en lamelles et arrosez-les immédiatement de jus de citron.

4 Faites dorer les graines de sésame dans une poêle à sec, déposez-les sur une assiette et laissez-les refroidir.

5 Enveloppez un set en bambou de film alimentaire et posez dessus une feuille de nori, côté lisse en dessous.

6 Répartissez dessus la moitié du riz pour sushis, tassez légèrement puis retournez la feuille de nori de façon à ce que le riz soit contre le film alimentaire.

7 Étalez la moitié de la mayonnaise sur le tiers inférieur de la feuille de nori, posez dessus les demi-bâtonnets de surimi, les bâtonnets de concombre et les lamelles d'avocat et enroulez le tout à l'aide du set. Tout en enroulant ces sushis, vous pouvez leur donner une forme carrée.

8 Avec le reste des ingrédients, formez un deuxième rouleau. Coupez chaque rouleau en six morceaux et roulez ceux-ci dans le sésame grillé.

Futo-maki aux shiitake et au surimi

Colorés et délicieux, ces gros rouleaux sont l'expression du raffinement extrême de l'art culinaire japonais

Pour 12 pièces

4 **champignons** shiitake séchés

2 c. à c. de **sucre**

3 c. à s. de sauce de **soja** claire

3 c. à s. de **saké**

60 g de **surimi** (4 bâtonnets)

1 morceau de **concombre** (env. 8 cm)

80 g d'**omelette**

3 feuilles de **nori**

250 g de **riz** pour sushis (voir préparation page 9)

1 c. à c. de pâte de **wasabi**

Préparation

1 Recouvrez les champignons séchés de 20 cl d'eau bouillante et faites-les tremper 30 minutes. Égouttez-les en recueillant l'eau de trempage.

2 Rincez les champignons sous le robinet et coupez les pieds. Faites chauffer l'eau de trempage avec les champignons, le sucre, la sauce de soja et le saké et faites bouillir environ 10 minutes. Égouttez les champignons, laissez-les refroidir et coupez-les en lamelles.

3 Coupez les bâtonnets de surimi en deux dans la longueur. Lavez le morceau de concombre, coupez-le en deux dans le sens de la longueur, évidez-en le centre et découpez-le en bâtonnets d'environ 0,5 cm de largeur. Découpez l'omelette en lamelles d'1 cm d'épaisseur.

4 Posez une feuille de nori sur le set en bambou. Mouillez vos mains et répartissez dessus la moitié du riz en laissant les bords libres. Étendez la moitié de la pâte de wasabi sur le riz.

5 Coupez en diagonale une deuxième feuille de nori et posez-la sur le riz de manière à ce qu'elle soit alignée sur le bord inférieur de la première feuille. Appuyez sur cette demi-feuille de nori.

6 Posez la moitié des autres ingrédients sur cette feuille en diagonale et roulez l'ensemble de manière à former un gros rouleau. Avec le reste des ingrédients, formez un deuxième rouleau et coupez chaque rouleau en 6 parts égales.

Petits rouleaux
au saumon et aux légumes

Préparation

1. Lavez les asperges, coupez les pieds. Faites-les cuire 5 à 6 minutes à l'eau bouillante salée, laissez-les égoutter et refroidir.

2. Coupez les betteraves rouges, le radis mariné et les filets de poisson en lamelles. Lavez et épongez les feuilles d'oseille.

3. Enveloppez le set en bambou d'un film alimentaire et posez dessus une feuille de nori, côté lisse en dessous.

4. Répartissez dessus la moitié du riz, tassez et retournez la feuille de nori de façon à ce que le riz soit contre le film alimentaire. Sur le tiers inférieur de la feuille de nori, étalez la moitié de la mayonnaise, posez dessus la moitié des ingrédients, 6 brins de ciboulette lavée et enroulez le tout. Procédez de même pour le deuxième rouleau.

5. Lavez l'aneth, essorez-le et hachez-le finement. Découpez les rouleaux en 6 morceaux de même grosseur et roulez-les doucement dans l'aneth.

Pour 12 pièces

2-3 **asperges** vertes

Sel • 50 g de **betteraves** rouges

50 g de **radis** mariné (takuan)

80 g de filet de **saumon**

80 g de filet de **thon** frais

6 feuilles d'**oseille**

2 feuilles de **nori**

250 g de **riz** pour sushis

(voir préparation page 9)

1 c. à s. de **mayonnaise**

12 brins de **ciboulette**

1 petit bouquet d'**aneth**

Pour 12 pièces

100 g de filet de **saumon** frais

1 c. à c. de pâte de **wasabi**

4 feuilles de **bettes**

150 g de **riz** pour sushis

(voir préparation page 9)

2 c. à s. d'**œufs de saumon**

Rouleaux de bette au saumon

Préparation

1 Lavez le filet de saumon à l'eau froide, épongez-le et coupez-le en minces lamelles à l'aide d'un couteau très tranchant. Enduisez les lamelles de pâte de wasabi sur une face.

2 Coupez en deux les feuilles de bettes, ôtez le pétiole, faites blanchir les feuilles 1 minute à l'eau bouillante salée. Faites-les tremper dans l'eau froide puis étendez-les sur un torchon pour qu'elles sèchent.

3 Avec une cuillère à soupe humide, prenez une portion de riz, formez une boulette avec vos mains mouillées et aplatissez-la légèrement.

4 Enveloppez la moitié des boulettes de riz de lamelles de saumon, en posant le côté enduit de wasabi contre le riz. Faites un creux dans les autres boulettes et remplissez-les d'œufs de saumon. Entourez toutes les boulettes de riz de feuilles de bettes. Servez bien frais.

Sushis au crabe
et aux œufs de poisson

Ces délicates bouchées à la chair de crabe et aux œufs de poisson
vous mettent l'eau à la bouche

Pour 12 pièces

1/2 **avocat** mûr

1 c. à c. de jus de **citron**

1 **carotte**

1 feuille de **nori**

200 g de **riz** pour sushis
(voir préparation page 9)

1 c. à c. de pâte de **wasabi**

50 g de chair de **crabe** en boîte

2 c. à s. de **mayonnaise**

4 c. à s. d'**œufs de poisson** volant

Préparation

1 Ôtez la peau de l'avocat et coupez sa chair en lamelles. Arrosez-les immédiatement de jus de citron.

2 Lavez la carotte, pelez-la et coupez-la en bâtonnets d'environ 0,5 cm d'épaisseur. Faites blanchir les bâtonnets dans l'eau bouillante salée pendant 1 minute, trempez-les dans l'eau froide et laissez-les égoutter.

3 Coupez la feuille de nori en deux. Recouvrez-en une moitié avec la moitié du riz et tassez légèrement. Posez dessus un morceau de film alimentaire et le set en bambou. Retournez doucement le set de manière à ce que la feuille de nori se trouve au-dessus.

4 Étendez un peu de pâte de wasabi sur la feuille de nori. Posez dessus les quartiers d'avocat, les bâtonnets de carotte et la chair de crabe, étalez un peu de mayonnaise. Enroulez le tout sans enrouler le film alimentaire ! Ôtez le film.

5 Procédez de même avec la seconde moitié de la feuille de nori. Coupez chaque rouleau en six parts égales et décorez les sushis avec les œufs de poisson.

À la place des œufs de poisson volant, que l'on trouve dans les épiceries asiatiques ou dans les grandes épiceries fines, on peut aussi acheter des œufs de saumon ou de lump.

Maki variés
au thon et au saumon

Ces maki **exotiques** au thon et au saumon cru exigent du poisson d'une très grande **fraîcheur**

Pour 12 pièces de chaque

3 × 400 g de **riz** pour sushis

Pour les tekka-hoso-maki :

150 g de filet de **thon** frais

2 feuilles de **nori**

1 c. à c. de **wasabi**

Pour les sake-hoso-maki :

150 g de filet de **saumon** frais

2 feuilles de **nori**

1 c. à c. de **wasabi**

Pour les sake-kawa-futo-maki :

6 feuilles de **salade**

1 morceau de **concombre**

300 g de filet de **saumon**

1 c. à s. de fécule de **pomme de terre**

2 c. à s. d'**huile**

3 feuilles de **nori**

1 c. à c. de **wasabi**

Préparation

1 Pour les tekka-hoso-maki, lavez le filet de thon et épongez-le, ôtez les éventuelles arêtes à l'aide d'une pince à épiler. Coupez les filets en lamelles d'environ 0,5 cm de large.

2 Coupez en deux les feuilles de nori, garnissez-les de riz, enduisez le riz de wasabi. Recouvrez avec les lamelles de thon et enroulez l'ensemble à l'aide du set en bambou. Coupez chaque rouleau en 6 parts égales.

3 Pour les sake-hoso-maki, lavez le filet de saumon à l'eau froide, ôtez les éventuelles arêtes à l'aide d'une pince à épiler. Coupez le filet en lamelles de 1 cm de large et formez également deux rouleaux comme à l'étape 2.

4 Pour les sake-kawa-futo-maki, lavez les feuilles de salade, épongez-les et coupez-les en fines lamelles. Lavez le morceau de concombre et coupez-le en fins bâtonnets.

5 Lavez le filet de saumon, épongez-le, ôtez les éventuelles arêtes à l'aide d'une pince à épiler. Coupez-le en biais en fines tranches, saupoudrez-les de fécule de pomme de terre, et faites-les revenir 2 minutes dans l'huile chaude, retournez-les et faites-les revenir sur l'autre face pendant 1 minute.

6 Posez une feuille de nori entière sur le set en bambou, étendez dessus la moitié du riz avec vos mains humidifiées, recouvrez d'une demi-feuille de nori et tassez. Posez la moitié des ingrédients au-dessus du riz et, avec le set en bambou, formez un rouleau. Préparez un deuxième rouleau avec le reste des ingrédients, et coupez chaque rouleau en 6 morceaux.

Hoso-maki
de trois couleurs

Voici un trio coloré, mais qui n'offre pas uniquement un plaisir des yeux : ces trois sushis délicieusement garnis nous mettent en appétit

Pour 6 pièces

200 g de **carottes**

4 c. à s. de **saké**

Sel

1 c. à c. de **sucre** en poudre

100 g de filet de **thon** frais

1/2 **concombre**

1 feuille 1/2 de **nori**

300 g de **riz** pour sushis

(voir préparation page 9)

2 c. à c. de **wasabi**

Préparation

1 Nettoyez les carottes, épluchez-les et coupez-les en bâtonnets d'environ 1 cm d'épaisseur. Faites chauffer le saké avec 3 cuillères à soupe d'eau, un peu de sel et du sucre. Ajoutez les bâtonnets de carotte et faites-les cuire environ 1 minute, retirez-les du feu et laissez-les refroidir dans le bouillon.

2 Lavez le filet de thon à l'eau froide et séchez-le. Ôtez les éventuelles arêtes à l'aide d'une pince à épiler. Découpez les filets avec un long couteau fin en fines tranches de 2 mm d'épaisseur.

3 Lavez le concombre, séchez-le et coupez-le en deux dans le sens de la longueur. Évidez-en le centre, découpez sa chair en bâtonnets de 1 cm de largeur.

4 Coupez la feuille de nori en deux. Recouvrez une moitié de feuille avec un tiers du riz, garnissez de pâte de wasabi, posez dessus des bâtonnets de carotte et enroulez le tout. Découpez le rouleau en biais en 6 morceaux de même grosseur.

5 Couvrez l'autre moitié de la feuille de nori avec un tiers du riz et enduisez d'un peu de pâte de wasabi. Ajoutez les bâtonnets de concombre et faites un rouleau. Coupez-le de la même façon.

6 Garnissez la dernière feuille de nori avec le reste de riz et la tranche de thon enroulée, faites un rouleau et coupez-le de la même façon.

Rouleaux
aux fruits de mer

Préparation

1 Arrosez les crevettes grises de jus de citron et laissez-les macérer 10 minutes.

2 Posez la feuille de nori sur un set en bambou, face lisse en dessous, répartissez-y uniformément le riz et tassez légèrement. Enroulez la feuille de nori et le riz à l'aide du set en bambou.

3 Découpez le rouleau avec un couteau très tranchant en 6 tranches de même épaisseur. Disposez les tranches à plat sur une assiette.

4 Creusez légèrement les maki sur le dessus à l'aide d'une cuillère et garnissez alternativement d'œufs de saumon et de crevettes, et, selon votre goût, de demi-feuilles de citronnelle.

Pour 6 pièces

50 g de **crevettes** grises (cuites)

1 c. à c. de jus de **citron**

1 feuille de **nori**

400 g de **riz** pour sushis

(voir préparation page 9)

2 c. à s. d'**œufs de saumon**

Pour 12 pièces

1 petit bouquet de **ciboulette**

1 **avocat** mûr

2 c. à s. de jus de **citron**

1 feuille de **nori**

200 g de **riz** pour sushis

(voir préparation page 9)

1 c. à c. de pâte de **wasabi**

Hoso-maki
à l'avocat

Préparation

1 Lavez et essorez la ciboulette.

2 Coupez l'avocat en deux et ôtez le noyau et la peau. Coupez sa chair en tranches de 1 cm de large. Arrosez-les immédiatement de jus de citron.

3 Coupez en deux la feuille de nori à l'aide de ciseaux de cuisine. Posez une demi-feuille, face lisse en dessous, sur un set en bambou. Répartissez dessus la moitié du riz pour sushis et tassez légèrement.

4 Étendez la moitié de la pâte de wasabi sur le riz et posez la moitié des tranches d'avocat et des brins de ciboulette sur le tiers inférieur. Enroulez la feuille de nori à l'aide du set en bambou. Avec le reste des ingrédients, formez un deuxième rouleau. Coupez chaque rouleau en 6 parts.

Futo-maki
de quatre couleurs

Ici, le riz, paré de ses plus belles couleurs, joue le rôle principal.
Ces maki vont susciter l'admiration de vos convives

Pour 6 pièces

300 g de **riz** pour sushis
(voir préparation page 9)
colorants alimentaires rouge,
jaune et vert,
4 gouttes de chaque
1 feuille de **nori**
1 c. à c. de **wasabi**

Préparation

1 Dans un plat, étalez le riz en une couche mince et divisez-le en 10 parts identiques.

2 Placez 2 parts dans une petite terrine, ajoutez-y du colorant jaune et mélangez doucement avec le manche d'une cuillère en bois, jusqu'à ce que le riz ait une belle couleur uniforme.

3 Placez à nouveau 2/10 du riz non coloré dans une terrine, ajoutez-y du colorant rouge et mélangez doucement avec le manche d'une cuillère en bois jusqu'à ce que le riz ait une belle couleur uniforme.

4 Recommencez l'opération en ajoutant cette fois du colorant vert.

5 Posez la feuille de nori, côté lisse en dessous, sur un set en bambou. Répartissez le riz de bas en haut comme suit : d'abord une bande de riz blanc, suivie d'une bande verte, puis d'une rouge et enfin d'une bande de riz jaune. Étendez la pâte de wasabi sur la couche de riz vert, enroulez la feuille de nori et coupez le rouleau en six morceaux de même taille.

Si vous préférez utiliser des colorants naturels, il faut faire cuire les parts de riz séparément : ajoutez une cuillère à café de safran pour colorer le riz en jaune. Pour le riz vert et le riz rouge, remplacez la moitié de l'eau par du jus de betterave rouge et du jus d'épinards.

Sashimi & Co

Sashimi
aux fruits de mer

Ici, les **gourmets** trouveront leur compte :
les huîtres et les coques satisferont les palais **exigeants**

Pour 2 personnes

1 petite **carotte**

150 g de **daïkon**

1 petite **courgette**

150 g de **coques**

400 g d'**encornets**

Sel • 1 c. à s. de **vinaigre de riz**

1 c. à s. de **mirin**

30 g de **salicornes** (achetées fraîches dans une poissonnerie)

4 brins de **coriandre**

4 **huîtres** creuses

Préparation

1. Épluchez la carotte et le daïkon. Râpez-les grossièrement séparément. Pelez la courgette, lavez-la, coupez-la en deux dans la longueur puis coupez-la en tranches fines.

2. Lavez soigneusement les coques. Lavez les encornets, épongez-les et coupez-les en tranches de 2 à 3 mm d'épaisseur.

3. Dans un faitout, portez à ébullition 50 cl d'eau avec un peu de sel, ajoutez du vinaigre de riz et du mirin. Faites ouvrir les coques pendant 2 minutes dans ce bouillon, ajoutez les lamelles d'encornets et laissez-les cuire 2 minutes. Jetez les coques qui ne sont pas ouvertes.

4. Lavez les salicornes et la coriandre et épongez-les avec du papier absorbant.

5. Dressez les encornets, les légumes, la coriandre et les salicornes sur un plat. Ouvrez les huîtres et disposez-les de manière décorative, ainsi que les coques. Servez selon votre goût avec des tranches de citron vert et une noisette de wasabi.

Les sashimi sont une préparation à partir de poisson cru et de fruits de mer, élégamment disposés sur un joli plat et agrémentés de bâtonnets de légumes et relevés de wasabi.

Chirashi-sushis
au poisson et aux crevettes

Le chirashi-sushi est un plat complet et diététique : le riz, le poisson, les crevettes et les légumes colorés se combinent en un plat pour gourmet raffiné

Pour 4 portions

15 g de **courge** séchée • **Sel**

6 **champignons** shiitake

3 c. à c. de **sucre**

3 c. à s. de sauce de **soja**

2 c. à s. de **mirin**

100 g d'**épinards** en feuilles

100 g de pousses de **radis**

200 g de pousses de **bambou** (en boîte)

4 **crevettes** crues non décortiquées

10 cl de **vinaigre de riz**

80 g de filet de **saumon** frais

80 g de filet de **maquereau** frais

2 c. à s. d'**huile**

600 g de riz pour **sushis** (voir préparation page 9)

Préparation

1 Passez la courge sous l'eau et frottez-la entre vos mains avec un peu de sel de façon à ce qu'elle ramollisse. Rincez le sel, faites ramollir la courge pendant 20 minutes dans de l'eau chaude. Videz l'eau, recouvrez avec de l'eau fraîche et faites-la cuire à petit feu pendant 10 minutes. Pendant ce temps, essuyez les champignons avec du papier absorbant.

2 Laissez égoutter la courge dans une passoire. Faites chauffer 15 cl d'eau avec 2 cuillères à café de sucre, de sauce de soja et le mirin, ajoutez les champignons et la courge et faites mijoter à couvert pendant 15 minutes. Égouttez-les.

3 Épluchez les épinards, lavez-les et faites-les blanchir 1 minute à l'eau bouillante salée. Passez-les sous l'eau froide et essorez-les. Lavez et égouttez les pousses de radis. Égouttez et coupez les pousses de bambou en tranches.

4 Enfilez les crevettes sur une brochette. Faites chauffer le vinaigre de riz avec 10 cl d'eau et 1 cuillère à café de sucre. Faites-y cuire les crevettes pendant 4 minutes puis ôtez les brochettes.

5 Lavez les filets de poisson, séchez-les et coupez-les en 4 tranches. Faites chauffer l'huile dans une poêle et faites-y dorer les filets pendant 1 minute sur chaque face, puis salez légèrement.

6 Garnissez 2 corbeilles en bambou de papier d'aluminium, placez dans chacune d'elles la moitié du riz puis les autres ingrédients. Versez au fond d'un faitout 4 cm d'eau, posez les corbeilles sur une grille. Portez l'eau à ébullition et faites cuire les chirashi-sushis à la vapeur, à couvert, pendant 8 à 10 minutes.

Chirashi
au saumon fumé

Toujours délicieux : le mélange délicat de saumon, de riz pour sushis et de concombre est vite préparé si vous avez des invités

Pour 4 portions

1 **citron** non traité

200 g de **saumon** fumé

2 c. à s. de graines de **sésame** blanches

1 petit **concombre**

1 c. à s. de **vinaigre de riz**

Sel

1/2 c. à c. de **sucre**

2 cm de racine de **gingembre**

800 g de **riz** pour sushis (voir préparation page 9)

2 c. à s. de graines de **sésame** noires

Préparation

1 Lavez le citron à l'eau chaude, essuyez-le et coupez-le en quartiers. Coupez trois quartiers en tranches fines, ôtez les pépins.

2 Découpez le saumon fumé en petites lamelles fines. Pressez le dernier quartier de citron sur les lamelles de saumon fumé.

3 Faites dorer légèrement les graines de sésame à sec, dans une poêle munie d'un couvercle, et laissez-les refroidir.

4 Lavez le concombre et coupez-le en très fines tranches ou râpez-le grossièrement. Mélangez soigneusement le vinaigre de riz, le sel et le sucre. Versez cette marinade sur le concombre.

5 Pelez le gingembre puis coupez-le en tranches très fines à l'aide d'un couteau tranchant, et enfin, en bâtonnets.

6 Égouttez le concombre. Dans quatre coupelles, répartissez le riz puis le reste des ingrédients et servez en saupoudrant de graines de sésame blanches et noires.

Le gingembre frais peut parfois être très fort. Pour l'adoucir, il faut plonger les bâtonnets ou les tranches pendant quelques minutes dans l'eau froide. Épongez-les avant de servir.

Sashimi au saumon et à la coriandre

Préparation

1 Pelez et hachez les échalotes. Lavez et essorez la coriandre, hachez finement la moitié des feuilles. Mélangez les échalotes et la moitié de la coriandre avec le jus de citron vert, le vinaigre, 1/2 cuillère à café de coriandre moulue, du sel, du poivre, du sucre et 6 cuillères à soupe d'huile pour faire une vinaigrette.

2 Coupez les avocats en deux, ôtez le noyau et la peau et coupez-les en tranches. Faites chauffer le reste de l'huile. Faites-y revenir brièvement les tranches d'avocat à feu doux. Saupoudrez avec le reste de coriandre moulue, salez et poivrez et répartissez sur quatre assiettes. Versez la vinaigrette dans la poêle et laissez réchauffer.

3 Coupez le saumon en tranches fines et posez-le sur l'avocat. Salez et poivrez, arrosez de vinaigrette chaude.

4 Ébouillantez brièvement les tomates, pelez-les, et disposez-les avec les feuilles de pissenlit lavées et le reste de coriandre sur les sashimi.

Pour 4 personnes

2 **échalotes**

1 bouquet de **coriandre**

3 c. à s. de jus de **citron** vert

2 c. à s. de **vinaigre de vin** blanc

1 c. à c. de **coriandre** moulue

Sel • **Poivre** moulu

1 pincée de **sucre**

8 c. à s. d'**huile d'olive**

4 petits **avocats** mûrs

400 g de filet de **saumon**

40 **tomates** cerises

20 jeunes feuilles de **pissenlit**

Pour 2 personnes

2 **échalotes** • 250 g de **bœuf** haché

1 **œuf** • **Sel** • **Poivre** moulu

175 g de **riz** pour sushis

(voir préparation page 9)

25 cl de **bouillon** de volaille

1 gousse d'**ail**

1 tranche de racine de **gingembre**

1 **poivron** • 1 c. à s. d'**huile** d'arachide

1 c. à s. de **persil** plat haché

20 cl de jus de **tomate**

1/2 c. à c. de **fécule** • 1 c. à c. de **sucre**

1 c. à s. de **vinaigre de riz**

2 c. à s. de **ketchup**

Sushis à la viande enrobés de riz

Préparation

1 Pelez et hachez les échalotes. Mélangez-en la moitié avec la viande hachée et l'œuf. Salez et poivrez. Formez huit boulettes avec cette préparation et enrobez-les de riz.

2 Garnissez une corbeille en bambou de papier sulfurisé huilé et déposez-y les boulettes. Posez une tasse renversée au fond du faitout et versez le bouillon. Placez la corbeille sur la tasse et faites cuire les boulettes à la vapeur pendant 10 minutes à couvert.

3 Pendant ce temps, pelez l'ail et le gingembre, ôtez les pépins du poivron et lavez-le, hachez finement le tout. Faites revenir les ingrédients pendant 1 minute dans l'huile d'arachide chaude avec le reste des échalotes et le persil.

4 Mélangez le jus de tomate avec la fécule et le sucre, et versez-le dans la poêle. Faites bouillir quelques instants. Relevez la sauce avec le vinaigre de riz, le ketchup et le sel et servez chaud avec les boulettes.

Mushi végétariens au saké et au gingembre

Un mélange réussi : champignons séchés et carottes fraîches s'harmonisent parfaitement avec les pois gourmands et les racines de lotus marinées

Pour 4 personnes

12 **champignons** shiitake séchés

4 tranches de **lotus** marinées (en bocal)

2 grandes **carottes**

8 **champignons** de Paris frais

2 **ciboules**

2 c. à s. de **sucre**

6 c. à s. de sauce de **soja**

4 c. à s. de **mirin**

250 g de **pois** gourmands

4 **œufs**

1 c. à c. de **sucre** • **Sel**

2 c. à c. de sauce de **soja**

6 c. à s. de **saké**

1 c. à s. de **beurre**

600 g de **riz** pour sushis chaud (voir préparation page 9)

Préparation

1 Recouvrez les champignons shiitake de 35 cl d'eau bouillante et faites-les ramollir pendant 20 minutes. Égouttez-les dans une passoire en recueillant l'eau de trempage. Rincez soigneusement les shiitake, ôtez les pieds. Faites égoutter les racines de lotus.

2 Lavez et pelez les carottes, coupez-les en quatre. Nettoyez les champignons de Paris et coupez-les en quartiers. Épluchez les ciboules, lavez-les et émincez-les dans le sens de la longueur.

3 Faites chauffer l'eau de trempage des champignons avec le sucre, la sauce de soja et le mirin. Faites-y mijoter les champignons shiitake et les carottes pendant environ 10 minutes. Faites-les égoutter dans une passoire en recueillant le bouillon. Faites cuire brièvement les champignons de Paris et les ciboules dans le bouillon. Réservez le bouillon et les légumes au chaud.

4 Nettoyez les pois gourmands et faites-les cuire 3 minutes à l'eau bouillante, en ajoutant les racines de lotus dans les 30 dernières secondes. Égouttez-les. Coupez les pois gourmands en lamelles puis réservez-les au chaud avec les racines de lotus.

5 Pour l'omelette, mélangez les œufs, le sucre, le sel, la sauce de soja et le saké. Faites chauffer le beurre dans une poêle avec couvercle, versez-y la préparation pour l'omelette et laissez-la prendre à feu doux. Laissez refroidir l'omelette et faites-en un rouleau serré. Coupez le rouleau en tranches d'environ 1 cm de largeur.

6 Répartissez le riz chaud dans quatre bols et arrosez-le d'un peu de bouillon de légumes chaud. Garnissez avec les rouleaux d'omelette et les légumes.

Mushi-sushis au poulet et aux carottes

Encore **fumant**, le mushi traditionnel au poulet est servi chaud à la manière européenne, avec des légumes **colorés**

Pour 4 personnes

125 g de **carottes**

75 ml de **dashi**

(bouillon de base instantané)

4 c. à c. de **sucre** • **Sel**

50 g de **shiitake** frais

250 g de blancs de **poulet**

2 c. à s. de sauce de **soja**

3 c. à s. de **saké** • 2 **œufs**

125 g de **pois** gourmands

800 g de **riz** pour sushis

(voir préparation page 9)

Préparation

1 Lavez les carottes, épluchez-les et coupez-les en julienne (bâtonnets fins). Mélangez le dashi, 2 cuillères à café de sucre et un peu de sel avec les carottes, portez à ébullition et laissez mijoter jusqu'à ce que le jus de cuisson soit presque évaporé.

2 Essuyez les champignons shiitake avec du papier absorbant, ôtez-en les pieds, coupez les gros champignons en deux.

3 Coupez la viande en dés moyens ou en lamelles. Faites-la cuire avec la sauce de soja, 1 c. à c. de sucre et le saké dans une sauteuse, jusqu'à ce que le jus de cuisson soit évaporé.

4 Battez les œufs avec un peu de sel, le reste de sucre et le saké. Avec ce mélange, préparez des œufs brouillés dans une poêle munie d'un couvercle.

5 Lavez les pois gourmands, coupez en deux les plus grands. Faites-les blanchir 2 minutes à l'eau bouillante salée, passez-les sous l'eau froide et laissez-les égoutter.

6 Dans quatre bols, répartissez le riz puis les autres ingrédients. Placez les bols dans un récipient de cuisson à la vapeur et faites cuire à couvert pendant 12 minutes.

Les mushi-sushis sont également délicieux avec des blancs de dinde. Mélangez avec le riz 6 cuillères à soupe d'arachides grillées et remplacez les pois gourmands par des petits pois frais.

Sashimi classiques au daïkon

Préparation

1 Salez le filet de saumon sur ses deux faces et laissez-le macérer à couvert dans le réfrigérateur pendant 2 heures. Puis essuyez le sel à l'aide d'un torchon, recouvrez le filet de vinaigre de riz et laissez-le mariner pendant 30 minutes.

2 Lavez le filet de thon et la seiche à l'eau froide et épongez-les. Coupez le thon en lamelles d'environ 0,5 cm de large, puis coupez la moitié de celles-ci en dés. Coupez d'abord la seiche en fines lamelles.

3 Lavez le filet de turbot à l'eau froide, épongez-le et coupez-le en quatre morceaux dans sa longueur. Incisez plusieurs fois chaque morceau, enroulez-le en forme d'escargot et arrosez-le de jus de citron. Épluchez le daïkon et émincez-le finement à l'aide d'une râpe. Salez légèrement.

4 Rincez à l'eau froide le filet de saumon, épongez-le et coupez-le en tranches de 0,5 cm de large. Dressez les poissons sur 4 assiettes avec le daïkon, la pâte de wasabi et la sauce de soja.

Pour 4 personnes

120 g de filet de **saumon** frais

2 c. à s. de **sel** de mer

2 c. à s. de **vinaigre de riz**

120 g de filet de **thon** frais

1 petite **seiche** (préparée, d'environ 60 g)

120 g de filet de **turbot** frais

1 c. à s. de jus de **citron**

1 morceau de **daïkon** d'environ 3 cm (radis japonais)

Sel

2 c. à c. de pâte de **wasabi**

3 c. à s. de sauce de **soja**

Pour 8 pièces

4 **galettes** de tofu frites (abura-age)

20 cl de **bouillon** de poule

3 c. à s. de sauce de **soja**

4 c. à s. de **sucre**

3 c. à s. de **mirin**

4 **champignons** shiitake frais

1 petite **carotte**

1 c. à s. de **saké**

2 c. à s. de **petits pois** fins (surgelés)

150 g de **riz** pour sushis

(voir préparation page 9)

8 brins de **ciboulette**

Sachets de tofu aux petits légumes

Préparation

1 Posez les galettes de tofu sur une planche et passez-les au rouleau plusieurs fois en appuyant fortement. Coupez les galettes en deux et repliez doucement chaque moitié de façon à former un petit sachet.

2 Faites chauffer le bouillon dans une sauteuse avec 2 cuillères à soupe de sauce de soja, de sucre et de mirin. Déposez-y les sachets de tofu et laissez mijoter jusqu'à ce que le jus de cuisson soit évaporé. Laissez refroidir.

3 Frottez les shiitake avec du papier absorbant, coupez le pied, hachez-les finement. Lavez, pelez et coupez les carottes en petits dés. Faites chauffer de l'eau avec le reste de sauce de soja, de sucre, de mirin et le saké, ajoutez tous les légumes, laissez cuire 4 minutes.

4 Formez 8 boulettes avec le mélange de légumes et le riz. Épongez les sachets de tofu, placez une boulette à l'intérieur et fermez-les avec un brin de ciboulette.

Sushis surprises aux flocons de chevaine

Envie d'une petite **surprise** ? Les petits sushis en sachets à la garniture légère constitueront un parfait **prélude** à un menu japonais

Pour 12 pièces

150 g de filet de **chevaine** (poisson d'eau douce)

24 brins de **persil** plat

Sel • 10 c. à c. de **sucre**

100 g de **carottes**

50 ml de **dashi** (bouillon de base instantané)

10 **œufs**

1 c. à s. de **fécule** de **pomme de terre**

3 c. à s. de **saké**

2 c. à s. d'**huile de soja**

100 g de **courge** marinée

800 g de **riz** pour sushis (voir préparation page 9)

Préparation

1 Déposez le filet de poisson dans de l'eau bouillante et laissez frémir pendant 8 minutes. Sortez-le avec une écumoire et écrasez-le finement à la fourchette. Lavez le persil et faites-le blanchir quelques secondes dans le bouillon.

2 Mélangez le poisson avec 1/2 cuillère à café de sel. Faites-le cuire à la vapeur en remuant avec 3 cuillères à café de sucre, jusqu'à ce qu'il ait l'aspect de flocons.

3 Lavez et pelez les carottes, puis coupez-les en bâtonnets. Faites cuire les carottes dans de l'eau avec le dashi, 2 c. à c. de sucre et un peu de sel, jusqu'à ce que le liquide soit presque évaporé.

4 Mélangez les œufs avec la fécule, le reste de sucre, le sel et le saké. Faites chauffer l'huile dans une petite poêle et préparez une douzaine d'omelettes très fines. Ne les empilez pas !

5 Hachez finement les courges et les carottes. Mélangez-les avec le riz et formez 12 bouchées. Remplissez chaque omelette d'une boulette de riz et refermez-les à l'aide de deux brins de persil. Déposez sur chaque sachet des flocons de chevaine.

On peut préparer les flocons de chevaine à l'avance puis les congeler par portions. Après la décongélation, réchauffez-les brièvement à la vapeur jusqu'à ce qu'ils reprennent un aspect floconneux.

Index des recettes

Crédits photographiques

Jo Kirchherr (stylisme Oliver Brachat) : 7 bas droite, 8-9, 13, 15, 19, 21, 23, 25, 29, 31, 32-33, 35, 37, 38, 39, 41, 43, 45, 47, 49, 51, 69, 77, 81, 83, 85, 86, 89, 91, 93, 95 ; StockFood/Gerrit Buntrock : 4-5, 57, 66 ; StockFood/Jean Cazals : 55, 61 ; StockFood/Tom Eckerle : 7 bas gauche ; StockFood/Susie Eising : 10-11, 26, 42, 52-53, 67, 75 ; StockFood/S. & P. Eising : 6 gauche, 7 (2e en haut gauche), 16, 74, 78-79, 92 ; StockFodd/Ulrike Köb : 58 ; StockFood/David Loftus : 6 droite ; StockFood/Len Mastri Photogr. : 7 (3e en haut gauche) ; StockFood/Kai Mewes : 17, 20, 27, 48, 59, 65, 71, 73 ; StockFood/Steven Morris : 7 haut droite ; StockFood/Scherrer : 2-3 ; StockFood/Jan-Peter Westermann : 7 haut gauche ; StockFood/Z. Sandmann/Schieren : 87

Conception artistique : Georg Feigl, Verena Fleischmann, Barbara Markwitz
PAO : Katharina Wiethaus
Recettes : Éditions Zabert Sandmann
Textes : Bärbel Schermer
Fabrication : Karin Mayer, Peter Karg-Cordes

Titre original : *Sushi*
Traduction : Stéphanie Alglave
Secrétaire d'édition : Catherine Pelché
Composition : *CMB* Graphic

ISBN : 2-263-03400-5
Code éditeur : S03400
Dépôt légal : DÉCEMBRE 2002
Imprimé en Italie